Ce livre appartient à :

Nom :

Adresse :

Offert par :

le   201...

martine
monte à cheval

d'après les albums de Gilbert Delahaye et Marcel Marlier

Durant les vacances, Martine va prendre des leçons d'équitation chez l'oncle Philippe. Celui-ci possède un manège. Ses pur-sang ont déjà gagné beaucoup de médailles.

Le cousin Gilles propose à
Martine de visiter les écuries.
Pendant ce temps,
Patapouf fait connaissance
avec le nouveau lévrier
qui surveille la ferme.

À la porte de l'écurie,
Vulcain et Cyclope saluent
Martine. En voyant Patapouf,
ils prennent peur et
commencent à taper du pied.
— Du calme, du calme, nous
ne vous voulons aucun mal,
les amis, dit Martine en
caressant Vulcain.

— Qu'y a-t-il dans ce box ?

demande Martine,

très curieuse.

— C'est Pénélope,

une jument qui attend

un petit poulain.

Ne la dérangeons

pas, elle est trop

fatiguée pour le moment.

— Il faudra de la paille
pour le poulain, dit
le cousin Gilles.

Martine se met directement
à la tâche, dénichant ainsi
une souris de sa cachette.
La petite bête s'enfuit.

16

Patapouf poursuit la souris
jusque dans la cour.
Mais le petit chien
abandonne rapidement
la course, distrait par
un cheval inconnu.
— Je ne suis pas un cheval !
dit l'animal. Je suis
Califourchon, le poney.

Pan, pan, pan. Le garçon d'écurie pose un nouveau fer au sabot de Météore, le cheval favori de l'oncle Philippe. Heureusement, ça ne fait pas mal.

— Le clou s'enfonce dans la corne, explique le lévrier.

19

Le cousin Gilles selle
Pâquerette, la plus douce
jument du manège.
— Veux-tu la monter ?
demande-t-il à Martine.
— Avec joie ! répond
la fillette qui attendait
ce moment avec
impatience.

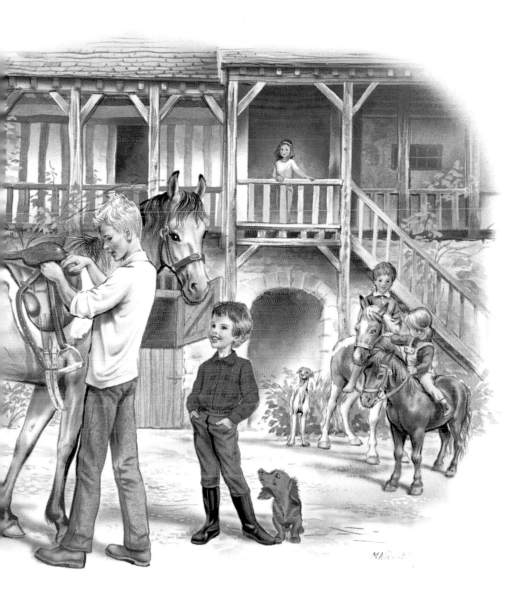

Tout est prêt : la selle,
les rênes et les étriers.
Il ne reste plus qu'à vérifier
la sangle. Mais ce n'est pas
facile de se hisser sur le dos
d'un cheval… *Hop,*
on pousse le pied dans
l'étrier, et on y est !

23

Avant de pouvoir partir
en promenade, il faut
s'entraîner en tournant autour
du manège. Le cousin Gilles
tient Pâquerette par la longe,
pour qu'elle ne parte pas
au galop.

— Pas si vite, pas si vite, dit
Martine un peu craintive.

Martine fait rapidement des progrès. Pâquerette est son cheval préféré.

Tous les matins, la jument a droit à son morceau de sucre, et remercie Martine d'un grand salut en secouant la tête.

Au fil des jours, et après
un long entraînement,
Martine est devenue
une excellente
cavalière. Elle part
se promener toute seule
dans la campagne,
en galopant aussi vite
que le vent.

Souvent, la fillette et sa jument s'arrêtent pour boire au ruisseau. Patapouf et son nouvel ami le lévrier la suivent tout essoufflés… et un peu jaloux de la complicité de leur maîtresse avec son compagnon.

Aujourd'hui, un concours d'équitation est organisé par le club de l'Éperon d'Or. L'oncle Philippe y a inscrit Martine. Elle est ravie ! Comme elle aimerait remporter le premier prix ! Pour cela, il faut que sa jument ait fière allure. Martine la brosse et peigne sa crinière.

C'est au tour de Martine :
elle enchaîne les sauts avec
aisance, et Pâquerette est
plus concentrée que jamais.
Encore une barrière à
franchir sans la faire
tomber… Oui ! Le dernier
obstacle est passé.

Tout s'est merveilleusement
passé. On annonce
au micro :
– Premier prix,
Mademoiselle Martine !
Hourra ! Le public
applaudit, et les flashs
crépitent.
Martine est vraiment
la meilleure des cavalières.

http://www.casterman.com
D'après les personnages créés par Gilbert Delahaye et Marcel Marlier / Léaucour Création.
Achevé d'imprimer en avril 2011, en Chine. Dépôt légal : Août 2010 ; D. 2010/0053/025.
Déposé au ministère de la Justice, Paris (loi n° 49.956 du 16 juillet 1949
sur les publications destinées à la jeunesse).
ISBN 978-2-203-02914-9